Yo opino...

¿Debemos comer carne?

Andrés Pi Andreu

Ilustraciones de **Héctor Borlasca**

VISTA®
HIGHER LEARNING

SANTILLANA USA

A favor

Alejandro, 7 años

4

Mi mejor amiga es vegetariana. Eso significa
que no come carne. Ella dice que todo el mundo
debería volverse vegetariano.

¿Deberíamos dejar de comer carne? Yo pienso
que no. La carne es importante para la salud.

La carne es buena porque nos da energía y proteínas. Las proteínas son importantes porque nuestro cuerpo las usa para mantener la piel, los huesos y los órganos saludables y funcionando bien.

La carne contiene hierro, que se necesita para que la sangre pueda llevar oxígeno a todo el cuerpo. También tiene zinc, que ayuda a combatir las bacterias y los virus. Además, es rica en vitamina B12, que sirve para mantener el cerebro y la sangre sanos.

Las personas han comido carne durante miles
de años. Creo que, si fuera mala, ya habríamos
desaparecido.

En conclusión, la carne es parte importante de
la dieta de los seres humanos porque contiene
proteínas y minerales que el cuerpo necesita.
Por todo esto, pienso que no debemos dejar
de comer carne.

En contra

Ana, 7 años

Soy vegetariana. Los vegetarianos no comemos
carne de ningún animal. Mi mejor amigo dice
que eso no está bien, ya que la carne es muy
importante para la salud.

¿Deberíamos comer carne? Yo creo que no.
Nuestro cuerpo no la necesita.

Los vegetarianos solo comemos alimentos de origen vegetal, como verduras, frutas, leguminosas, cereales, semillas y nueces. Estos alimentos aportan todos los nutrientes que tienen las carnes, pero no contienen otras cosas que son malas para la salud.

La carne no es buena porque tiene mucha grasa. El exceso de grasa causa obesidad y enfermedades del corazón, entre otras cosas. Además, algunas investigaciones han encontrado que el consumo de carne puede aumentar el riesgo de desarrollar cáncer, diabetes y la enfermedad de Alzheimer.

Comer carne tampoco es bueno para el medio ambiente. En la actualidad, la cría de animales para consumir produce más gases causantes del efecto invernadero que todos los automóviles del planeta.

Mucha gente se vuelve vegetariana para no apoyar el maltrato a los animales. Para mí, esta es una razón muy importante para no comer carne porque me encantan los animales.

En conclusión, las personas que no comen carne
mantienen un peso saludable y se enferman menos.
Además, ayudan a proteger el medio ambiente.
Por eso me siento orgullosa de ser vegetariana.

© 2021, Vista Higher Learning, Inc.
500 Boylston Street, Suite 620.
Boston, MA 02116-3736
www.vistahigherlearning.com
www.loqueleo.com/us

© Del texto: 2021, Andrés Pi Andreu

Dirección Creativa: José A. Blanco
Director Ejecutivo de Contenidos e Innovación:
  Rafael de Cárdenas López
Desarrollo Editorial: Lisset López, Isabel C. Mendoza
Diseño: Paula Díaz, Daniela Hoyos, Radoslav Mateev,
  Gabriel Noreña, Andrés Vanegas
Coordinación del proyecto: Brady Chin, Tiffany Kayes
Derechos: Jorgensen Fernandez, Annie Pickert Fuller
Producción: Oscar Díez, Sebastián Díez, Andrés Escobar,
  Daniel Lopera, Adriana Jaramillo, Daniela Peláez
Ilustraciones: Héctor Borlasca

¿Debemos comer carne?
ISBN: 978-1-54333-350-3

Published in the United States of America

1 2 3 4 5 6 7 8 9 GP 26 25 24 23 22 21